Siencyn a'r

Siencyn a'r Clociwr Cas

Eurgain Haf

Lluniau gan Janet Samuel

DREF WEN

Hefyd yn y gyfres:
Siencyn a Dan Draed
Dan Draed Dan Glo
Siencyn a'r Sipsiwn

Cyhoeddwyd gan Wasg y Dref Wen,
28 Ffordd yr Eglwys,
Yr Eglwys Newydd, Caerdydd CF14 2EA
Ffôn 029 20617860

Argraffwyd ym Mhrydain.

Mae'r cyhoeddwr yn cydnabod cefnogaeth
ariannol Cyngor Llyfrau Cymru.

I Ioan,
am ei amser a'i amynedd

Diolch yn arbennig i'm golygydd,
Catrin Hughes, am ei chefnogaeth
a'i chyfeillgarwch ar hyd holl deithiau
Siencyn a Dan Draed.

Siencyn y trempyn
Sy'n drewi fel pysgodyn!
Siencyn y trempyn
Yn begera am friwsionyn.

Dyna beth mae'r plant yn ei weiddi pan fyddan nhw'n fy nilyn i o gwmpas y lle gan alw enwau arna i. Nid Siencyn ydi fy enw i go iawn, ond mae Siencyn yn odli efo trempyn, a dyna'r cwbl ydw i iddyn nhw. Hen drempyn budr, blêr.

A dweud y gwir, dwi'n hoffi'r enw erbyn hyn. Mae'n gwneud y tro i'r dim gan nad ydw i'n cofio fy enw fy hun. Efallai rhyw ddydd y daw rhywbeth i esbonio pwy ydw i ac o ble dwi'n dod. Am y tro, dwi'n crwydro efo fy ffrind bach ffyddlon, Dan Draed, ci teircoes y gwnes i ei achub o'r ffair. Dwi'n dilyn fy nhrwyn ar hyd ac ar led y wlad gan ganolbwyntio ar bethau pwysig fel y pryd bwyd nesaf, a ble dwi am gysgu heno. Ac yn y cyfamser mae yna bobl ddiddorol yn croesi fy llwybr – rhai yn glên ac eraill yn gas.

Ar Daith

Tic, toc, cnoc!

Awwww! Trawais fy nhalcen wrth i'r gwcw bren ganu'n groch yn y cloc uwch fy mhen. Un, dwy, tair, pedair gwaith.

Cwcw, cwcw, cwcw, cwcw.

Taw yr hen gwcw wirion, chwyrnais gan rwbio'r lwmp oedd wedi codi fel wy uwchben fy ael. Er nad oedd dim modd i mi ddweud faint o'r gloch oedd hi gan fod bysedd fy oriawr arian wedi stopio ar dri munud i dri, fe wyddwn ei bod hi'n hwyrach na phedwar o'r gloch. Mewn gwirionedd, roedd hi'n saith o'r gloch y bore. Sut gwyddwn i hynny? Wel, pwy a ŵyr? Waeth pa amser o'r dydd neu'r nos oedd hi, roedd fel petai gen i ryw chweched synnwyr i allu dweud faint o'r gloch oedd hi.

Erbyn hyn roedd hi'n amser codi, er bod hynny'n amhosibl â Dan a minnau yn sownd yn y fath ofod cyfyng.

Bwm-bwmp, bwm-bwmp! Trawais fy mhen yn erbyn y panel pren eto wrth i olwyn y garafán daro darn anwastad yn y ffordd. Cwynodd Dan Draed druan hefyd. Roedd fy ffrind ffyddlon yn gorwedd wrth fy ymyl, ei drwyn tamp ar ei bawennau a golwg sâl fel ci arno! Doedd o ddim yn un da am deithio ar olwynion, fel finnau.

Hidia befo, Dan bach. Fe fyddwn ni yno mewn dim o dro, ceisiais ei gysuro. Ac ar ôl cyrraedd, falle y bydda i fymryn yn nes at ddarganfod pwy ydw i ac o ble rydw i'n dod. Ond am y tro, roedd yn rhaid i'r ddau ohonom orwedd yn llonydd a dioddef gweddill y daith. Doedd hynny ddim yn beth hawdd gan ein bod wedi ein stwffio fel sardîns o dan wely Tom Twm a Lili yn y garafán, a ninnau'n symud. Ac O! roedd y lle'n drewi! Yma, o dan y gwely, y byddai Lili'n sychu ei pherlysiau, a byddai'n eu defnyddio i wella pob salwch dan haul. Fe lwyddodd i'm gwella i gyda'i ffisig perlysiau unwaith, wedi i Tom Twm y Sipsi ddod o hyd i mi ar ochr y ffordd. Roeddwn i'n dioddef o ffliw cas ac yn wan fel cath. Fe aeth â mi yn ôl i'w gartref, sef y safle Sipsiwn ar gyrion y pentref. Ac yno, yng ngharafán Tom Twm a Lili yr ydw i wedi bod yn byw ers hynny.

Does gan y Sipsiwn, fel finnau, ddim cartref sefydlog, felly maen nhw'n teithio o le i le ac yn aros ar gyrion gwahanol bentrefi a threfi. Weithiau maen nhw'n cael croeso gan y bobl leol, ond dro arall maen nhw'n cael eu drwgdybio o ddwyn a chreu trwbl, ac yn cael eu herlid o'r dre. Mae pobl fel fi a'm ffrindiau yn gyfarwydd iawn â chael ein beio ar gam, dim ond am ein bod ni'n wahanol.

Ond heddiw, rydyn ni wedi gadael safle'r Sipsiwn, ac mae Dan Draed a minnau yn mynd ar daith arbennig efo Tom Twm a Lili.

I ble? A pham fod Dan a minnau'n cuddio o dan y gwely yn y garafán yng nghanol y perlysiau drewllyd? Wel, dewch i mi geisio egluro, a throi'r cloc yn ôl rhyw fymryn …

Y Pasport

Tic, toc, bloc!

Rydym ni ar ein ffordd i'r Goedwig Ddu. Ardal fynyddig a choediog yn ne-orllewin yr Almaen yw'r Goedwig Ddu. Mae'r ardal hefyd yn enwog am ei chlociau, yn enwedig clociau cwcw, ac rydyn ni'n teithio yno er mwyn cael trwsio hen gloc cwcw dŵ-lali Tom Twm a Lili.

"Hoffet ti ddod gyda ni, Siencyn?" gofynnodd Tom Twm i mi un diwrnod.

Doedd dim rhaid i mi bendroni'n hir. Cofiais fel yr oedd fy ffrind annwyl Siani Seicig wedi darogan fod taith anturus o'm blaen sbel yn ôl. A gwelodd Riwben Jôs, y Sipsi doeth, fy ffawd yn fflamau'r goelcerth ar noson ei ben-blwydd yn 102 mlwydd oed.

Rwyt ti wedi cael dy arwain aton ni am reswm Siencyn, dwi'n siŵr o hynny, dyna oedd geiriau Riwben. *Roedd wynebau Tom Twm a Lili i'w weld yn glir yn y fflamau ac fe fyddan nhw'n dy helpu di ar ran olaf dy daith.*

A dweud y gwir, roedd gen i reswm arall dros fynd. Erbyn hyn, roedd bysedd main y gaeaf wedi diosg gwisg yr haf ac roedd y wlad i gyd yn noeth. Doedd gen i ddim awydd treulio gaeaf oer arall yn chwilio am loches rhag y gwynt a'r glaw ac yn dyheu am fwyd cynnes. Byddai'n braf cael aros yn y garafán gynnes dros y gaeaf, ac yn brafiach fyth cael cwmni Tom Twm a Lili am sbel eto.

"Ydi dy basport di gen ti, Siencyn?" holodd Lili un bore wrth bacio. "Ac mae angen un ar Dan Draed hefyd. Mae'n rhaid i gi gael pasport y dyddiau yma."

Pasport? Allwn i ddim cofio i mi gael pasport erioed!

Pan gyrhaeddais y Swyddfa Basports yn y ddinas, doeddwn i ddim yn gwybod beth i'w ddisgwyl. Sefais mewn ciw hir o bobl ac aros fy nhro. Roedd yno res o swyddogion yn eistedd fel robotiaid y tu ôl i ffenestri plastig. O gornel fy llygad, gallwn weld fflachiadau llachar yn dod o'r bwth bychan ym mhen pellaf y swyddfa. Hen le rhyfedd iawn oedd hwn, meddyliais.

"Rhif saith, os gwelwch yn dda," llanwodd y llais robotaidd y lle. Cerddais yn ufudd at gownter rhif saith ble roedd y rhif yn fflachio'n goch.

"Pnawn da, syr, a sut alla i eich helpu chi heddiw?" meddai'r ferch ifanc yn gwrtais.

"Rydw i a fy nghi bach angen pasports i deithio i'r Goedwig Ddu yn yr Almaen, os gwelwch yn dda," atebais.

"Dim problem. Oes dau lun addas gennych chi i brofi mai chi ydach chi?"

"Lluniau? Na, does gen i ddim arian i brynu camera i dynnu lluniau, yn anffodus," atebais yn ddryslyd.

"Na, rydych chi wedi camddeall, syr," gwenodd y ferch ifanc gyda'i gwefusau pinc llachar. "Mae angen i chi fynd i'r bwth fan acw i dynnu dau lun i'w cynnwys yn y pasport. Dewch yn ôl yma wedyn, ac fe awn drwy'r ffurflen gais gyda'n gilydd."

Camais i mewn i'r bwth gwyn bychan a thynnu'r cyrten ar fy ôl. Eisteddais ar y stôl blastig a chyn i mi sylweddoli beth oedd yn digwydd, roeddwn i'n troelli rownd a rownd fel chwyrligwgan.

Fflach!

Edrychais i fyny ar y sgrin ddu o'm blaen. Yno roedd llun ohono i â fy ngheg yn agored fel ogof wedi i mi bron â syrthio oddi ar y stôl.

Sylwais ar arwydd ar y dde i mi: EDRYCHWCH YN SYTH I'R SGRIN O'CH BLAEN A PHEIDIWCH Â GWENU.

Ceisiais eto. Plygais i godi Dan Draed ar fy nglin fel y byddai yntau yn rhan o'r llun.

Fflach!

Y tro hwn dim ond top fy het a phigau clustiau Dan Draed oedd yn y llun.

Fe gymerodd sawl tro i ni gael y llun yn gywir a cherddais yn ôl at y cownter gan deimlo braidd yn flinedig. Tybed ai fel hyn oedd sêr y ffilmiau yn teimlo wedi iddynt gael tynnu eu lluniau ar gyfer y cylchgronau?

"Nawr 'te, mae gen i ambell gwestiwn i'w holi i chi ar gyfer y ffurflen gais," aeth y ferch ifanc yn ei blaen gyda'i gwên binc llachar a'i llygaid glas.

"Enw cyntaf?"

"Sie … ym, dydw i ddim yn siŵr …"

"Cyfenw?"

"Dydw i ddim yn cofio."

"Dyddiad geni?"

"Wel, dydw i ddim yn ifanc …"

"Cyfeiriad?"

"Rhywle yng Nghymru …"

"Swydd?"

"Hmm. Arhoswch funud …" Crafais fy mhen yn feddylgar. "Na, does gen i ddim cof …"

Diflannodd y wên binc llachar. Tywyllodd y

llygaid glas. Ceisiais egluro wrthi fy mod i wedi colli fy nghof go iawn, nad oedd gen i syniad pwy oeddwn i nac o ble roeddwn i'n dod, a fy mod i bellach yn byw fel Siencyn, crwydryn digartref sy'n ceisio dod o hyd i'w orffennol. Ond doedd gan ferch y gwefusau pinc ddim diddordeb yn hynny.

"Gwrandewch, syr, mae hyn yn wastraff amser llwyr. Heb fanylion personol, alla i ddim prosesu eich pasport. Mae arna i ofn fod yn rhaid i mi *wrthod* eich cais," meddai, gan roi stamp inc du ar draws fy ffurflen.

O diar, sut yn y byd oedd Dan Draed a minnau yn mynd i gyrraedd y Goedwig Ddu rŵan?

FFURFLEN GAIS

ENW: SIENCYN

DYDDIAD GENI:

CYFEIRIAD:

RHIF FFÔN:

llun

GWRTHOD

Cyrraedd

Tic, toc, stop!

Dyna'r tro cyntaf i mi dorri'r gyfraith ac roeddwn i'n teimlo'n euog iawn. Ond sut oedd Dan a minnau yn mynd i gyrraedd y Goedwig Ddu heb basports? Llwyddais i berswadio Tom Twm a Lili i adael i ni guddio o dan eu gwely yn y garafán. Drwy wneud hyn roedd yna siawns na fyddai'r awdurdodau yn ein dal, ac wrth i ni groesi o un wlad i'r llall, ddaeth yno neb i archwilio'r garafán, diolch byth.

Bob hyn a hyn byddwn yn mentro codi o'r guddfan i sbecian drwy'r ffenest. Dotiais at glogwyni gwyn Dofr, roedden nhw'n edrych fel petai rhywun wedi tynnu llinell sialc

Cymru
Clogwyni Gwyn
Dofr
Gwlad
Belg
Lwcsembwrg
Ffrainc
Y Goedwig
Ddu

drwchus ar hyd yr arfordir du. *Oh là, là!* Fe ges i fraw yn Ffrainc pan ddechreuodd Tom Twm yrru ar yr ochr anghywir i'r ffordd, ond fe esboniodd Lili mai ar yr ochr dde y mae pawb yn gyrru yn y wlad honno. Ffiw! Roedd ganddyn nhw dai crand iawn yno hefyd, o'r enw *châteaux*. Ac wrth yrru drwy wlad Belg a Lwcsembwrg roeddwn i'n rhyfeddu at y pentrefi bach del. Roedd hi'n daith ddiddorol, ond wedi tridiau hir o deithio dow-dow a chuddio o dan y gwely, roeddwn i'n falch o gyrraedd yr Almaen.

"Bore da, Siencyn. Bore da, Dan Draed. Croeso i'r Goedwig Ddu!" Llanwodd llais llon Tom Twm y garafán.

Cwcw. Cwcw. Cwcw. Canodd yr aderyn pren yn orfoleddus yn y cloc uwch fy mhen.

Cric, croc. Sythais fy nghoesau. Roedden nhw'n stiff fel procer. Llamodd Dan Draed allan drwy ddrws y garafán, yn falch o gael awyr iach.

Edrychais ar yr olygfa. Roedd yn edrych fel

llun ar gerdyn post. Roedden ni'n uchel i fyny yn y mynydd ac o'm blaen, llithrai ceunant dramatig. Er ei bod yn aeaf roedd y dyffryn yn goediog, gyda choed pin bytholwyrdd yn tyfu ym mhobman. Roedd afon yn ystumio fel neidr ddiog ar hyd wely'r dyffryn oddi tanom. Gallwn weld ffordd gul yn plethu drwy'r mynydd ac roedd twneli wedi'u cloddio i mewn i'r graig, i'r ffordd gael parhau. Roedd tai pren gyda thoeau trionglog yn crogi ar ochrau'r mynydd. Bob ochr i'r ffenestri roedd caeadau lliwgar a oedd yn edrych fel petaent yn barod i chwarae gêm o pi-po. Tybed pam eu bod yn galw'r lle yn y Goedwig Ddu meddyliais. Doedd dim byd yn ddu nac yn dywyll am y lle. Roedd yn lle gwyrdd a hardd iawn.

"Hallo Tom Twm a Lili. Willkommen! Croeso mawr, ffrindiau!" Cleciodd llais i lawr y ceunant.

Edrychais rownd ochr y garafán a gweld clompen o ddynes yn bownsio tuag atom. Roedd yno ddwy afr yn bownsio ar ei hôl.

Roedd hi'n gwisgo gwisg draddodiadol Almaenig ac roedd ei gwallt wedi'i glymu'n ddwy blethen frith bob ochr i'w hwyneb crwn.

Pwy goblyn oedd hon, tybed?

Helga Heglog

Tic, toc, plop!

Syrthiodd y glompen yn glewt o flaen fy nhraed gan orwedd yno fel morfil mawr wedi'i olchi ar y traeth.

"Nein Hansel! Na Gretel!" dwrdiodd y ddynes y ddwy afr ddireidus. Roedden nhw wedi'i phwnio'n galed yn ei phen-ôl a gwneud iddi faglu dros Dan Draed druan. Roedd hwnnw yn sefyll yn y man anghywir fel arfer!

"Baaa," brefodd Hansel y bwch gafr yn bowld, gan rowlio ei ben i ddangos ei gyrn hir corniog.

Sylwais fod Tom Twm wrthi'n stwffio ei hances boced

i'w geg i stopio ei hun rhag chwerthin. Pwniai Lili ei gŵr, gan wgu'n flin arno.

"Siencyn," meddai Lili. "Dyma ein ffrind annwyl, Frau Helga." Stryffagliodd Helga ar ei thraed gan roi ei sbectol gron yn ôl ar grwc ei thrwyn. Roedd y gwydr mewn un lens wedi cracio a'r sbectol yn cael ei dal at ei gilydd gan selotep. Roedd crafiadau ar ei phengliniau a'i phenelinau hefyd. Roedd hi'n amlwg fod Helga druan yn baglu'n aml. Penderfynais yn dawel bach y byddwn yn ei galw'n Helga Heglog!

"Herr Siencyn, mae'n bleser eich cyfarfod chi," bloeddiodd, ac yna cydiodd ynof a'm gwasgu mor dynn nes yr oeddwn i'n awchu am anadl.

"O, mae eich ffrind o Gymru yn hynci," meddai wrth Tom Twm a Lili, gan 'smicio blew ei hamrannau arna i.

Stwffiodd Tom Twm ei hances i'w geg unwaith eto wrth weld yr olwg syfrdan ar fy wyneb. Hync? Oedd, roedd Helga yn sicr angen sbectol newydd! Doedd dim byd yn olygus amdana i. Roeddwn i'n garpiau i gyd a doeddwn i heb dorri fy marf a'm gwallt ers misoedd, heb sôn am y ffaith 'mod i'n drewi o berlysiau.

Wff wff! Ond roedd Dan Draed, fy ffrind ffyddlon, yn amlwg yn cytuno gyda Helga fy mod i'n hync!

Caban pren clyd gyda tho trionglog fel cwfl drosto oedd cartref Helga. Roedd Hansel a Gretel, y ddwy afr, yn byw yma hefyd, ac roedden nhw'n cael hwyl arw yn crwydro o gwmpas y lle gan bwnio pawb, yn enwedig Dan Draed druan. Sylwais hefyd fod sawl cadair wedi torri yn y tŷ a bod coes y bwrdd yn simsan iawn, ac ambell lestr wedi'i ludo at ei gilydd. Roedd hi'n amlwg fod Helga druan yn heglog iawn o gwmpas y tŷ hefyd.

Aeth Helga ati i baratoi swper bendigedig o selsig gwyn traddodiadol yr Almaen ac yna theisen enwog y Goedwig Ddu gyda cheirios duon a hufen. Ond bu bron i'r deisen lanio ar y llawr wedi i Helga faglu dros ei thraed. Llwyddodd Tom Twm i'w dal jest mewn pryd. Oedd, roedd gan Helga druan draed chwarter i dri ac roedd hi'n baglu dros bopeth, hyd yn oed y gwynt!

Roedd Helga wedi dod i adnabod Tom Twm a Lili gan fod ei gŵr, Karl, yn Sipsi, ac arferai deithio gyda Tom Twm nes iddo ddod i'r Goedwig Ddu i weithio yn y chwarel fwynau. Yma fe syrthiodd Karl mewn cariad gyda Helga, y ferch oedd yn gofalu am y geifr ar ochr y mynydd, ac fe briododd y ddau. Ond erbyn hyn roedd Karl wedi marw ac roedd Helga'n chwilio am ŵr newydd!

Yn sydyn, goleuodd y lleuad garreg werdd hyfryd ar y sil ffenest. Roedd nifer o gerrig yno o liwiau'r enfys yn taflu goleuni amryliw o amgylch yr ystafell.

"Wyt ti'n hoffi'r crisialau, Siencyn?" holodd Helga.

"Maen nhw'n brydferth iawn," atebais.

"Karl oedd yn arfer eu casglu i mi pan oedd yn gweithio yn y chwarel am fy mod yn hoffi eu lliwiau tlws," esboniodd. "Cymer di'r garreg emrallt yma'n anrheg," meddai, gan roi carreg fawr werdd lachar i mi. "Mae hi'n garreg hud. Dim ond i ti ei defnyddio'n ddoeth, fe ddaw â lwc i ti … a chariad newydd hefyd,” meddai, gan wincio arna i.

Gallwn deimlo fy hun yn cochi fel tomato.

Fe wnes i ddylyfu gên yn swnllyd ac ymestyn fy mreichiau i'r awyr er mwyn esgus fy mod i wedi blino'n lân.

“Diolch yn fawr am y swper hyfryd, Helga, ac am gael aros yma heno,” meddwn. “Mae hi wedi bod yn ddiwrnod hir iawn ac felly rydw i am ei throi hi am y gwely.”

“Gute Nacht! Nos da, Siencyn!” meddai gan wenu.

Y noson honno, wrth i mi suddo i'r gwely esmwyth, sylwais ar rywbeth yn goleuo'n wyrdd yn fy mag yn y gornel. Y garreg oedd yno. Carreg emrallt hud Helga Heglog …

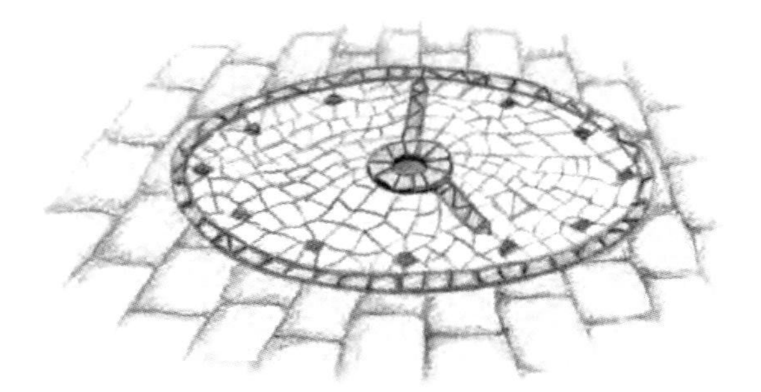

Siop y Clociwr

Tic, toc, dyn y cloc.

Ar ôl llowcio llond plât o frecwast, fe ffarwelion ni â Helga Heglog, gan ddiolch iddi am fod mor garedig.

"Auf Wiedersehen, Tom Twm a Lili. A hwyl fawr, Siencyn a Dan Draed," meddai Helga, gan sefyll yn y drws gyda Hansel a Gretel bob ochr iddi. "A chofia Siencyn, os byddi di eisiau lle i aros eto ar dy deithiau, mae croeso i ti yma bob amser," gwenodd yn gariadus, gan chwythu cusan tuag ata i. Dechreuodd Tom Twm biffian chwerthin eto.

"Nawr, brysiwch ar eich taith i lawr i'r dre. Mae eira mawr ar y ffordd," gwaeddodd.

"Ble ddown ni o hyd i siop y clociwr i drwsio'r cloc cwcw?" holodd Lili.

"Edrychwch ar y llawr ac fe ddowch o hyd i'r siop yn ddigon rhwydd," atebodd Helga. Am ateb rhyfedd, meddyliais.

Roedd y dre yn swatio yng nghesail y mynydd, a rhedai ceir cebl i fyny ac i lawr o'r dre i'r copa, gan gludo ymwelwyr i weld y golygfeydd godidog. Strapiodd Tom Twm y cloc cwcw yn sownd i'w gefn ac fe ddechreuon ni gerdded drwy'r strydoedd cul, coblog, wrth chwilio am siop y clociwr. Sylwais ar y tai mawr gyda'r teils coch crwn ar y toeau. Roedden nhw'n fy atgoffa o'r cen coch ar gefn pysgodyn prin y torgoch a welais yn nofio yn Llyn Tegid unwaith.

Arweiniodd y stryd gul ni i sgwâr enfawr gyda phistyll yn ei ganol. Bîb-bîb. Udodd corn y tram wrth iddo hisian heibio i ni fel neidr flin ar y rheiliau. Roedd yn llawn o bobl yn teithio o un pen o'r dre i'r llall. Roedd y lle yma'n wahanol iawn i Gymru, meddyliais.

Erbyn hyn roedd cefn Tom Twm yn dechrau

gwegian o dan bwysau'r cloc cwcw. Roedden ni wedi pasio rhesi o siopau ond doedd dim golwg o siop yn gwerthu a thrwsio clociau yn unman.

Cofiais eiriau Helga ac edrych i lawr ar fy nhraed. Yno gwelais batrwm mosaic yn rhan o gerrig coblog y stryd. Roedd y patrwm yn ffurfio siâp blodyn. Edrychais i fyny ar y siop o'm blaen i ac, yn wir i chi, siop flodau oedd hi. Ychydig gamau i lawr y stryd fe welais batrwm siâp buwch ar y llawr o flaen siop y cigydd a siâp siswrn o flaen y siop trin gwallt.

"Dyna ffordd dda o wybod pa siop yw hi," meddai Lili.

"Sy'n golygu mai'r cyfan sy'n rhaid i ni ei wneud ydi chwilio am wyneb cloc yn y cerrig ar lawr y stryd," ychwanegais innau.

"Gorau po gyntaf y down ni o hyd i'r siop," cwynodd Tom Twm. "Mae'r cloc cwcw yma'n drwm!"

Dechreuodd Dan Draed gyfarth yn gyffrous a chrafu ei bawen ar y llawr. Roedd o wedi dod o hyd i wyneb cloc ar y palmant. Mewn chwinc, roedden ni'n sefyll o flaen siop y clociwr. Roedd y ffenest yn llawn clociau o bob lliw a llun, gyda'u pendiliau am y gorau yn rasio yn erbyn ei gilydd i gadw amser. Wrth gamu i mewn roedd y lle'n dywyll iawn a sŵn tician yr holl glociau'n fyddarol. Doedd neb i'w weld yn y siop ond gallwn weld golau gwan y tu ôl i'r cownter mawr derw. Yno yn y gweithdy roedd dyn yn brysur yn peintio wyneb ar gloc. Roedd ganddo bob math o declynnau trwsio clociau o'i gwmpas.

"Helô, gyfeillion," meddai, gan godi ar ei draed. "Sut alla i eich –"

Stopiodd ar hanner ei frawddeg. Syllodd yn syn arna i nes yr oeddwn i'n teimlo'n reit annifyr. Edrychai fel petai wedi gweld ysbryd. Dechreuodd Dan Draed ysgyrnygu'n isel a dangos ei ddannedd.

Sylwodd y clociwr ei fod yn syllu arna i, a gwenodd yn ffals. "Be alla i ei wneud i chi?"

Wrth i'r clociwr archwilio cloc cwcw Tom Twm a Lili, dechreuodd olwynion fy ymennydd droi. Oeddwn i wedi cyfarfod y dyn yma o'r blaen? Pam ei fod wedi stopio'n stond wrth fy ngweld? Tybed a oeddwn i'n ei atgoffa o rywun? Roedd y clociwr yn sicr yn fy atgoffa i o rywbeth. Edrychai fel llwynog. Roedd ganddo fop o wallt coch wedi'i frwsio yn ôl ar dop ei ben ac ychydig o flew coch yn tyfu ar bob boch. Gwisgai sbectol un llygad i'w helpu i graffu'n fanylach i foliau'r clociau yr oedd yn eu trwsio. Ond, o dan y gwydr, gallwn weld ei lygaid gwyrdd yn dilyn bob cam roeddwn i'n ei gymryd. Roedd ganddo ddafaden fawr ddu ar flaen ei drwyn hir, a gwnâi hynny iddo edrych yn debycach fyth i drwyn llwynog. Aeth ias oer i lawr fy nghefn. Cofiais fel yr oedd fy ffrind Siani Seicig wedi gweld siâp llwynog yn y dail te pan oedd hi'n dweud fy ffortiwn un tro. "Creadur slei ydi'r llwynog," rhybuddiodd. "Oes ffrind neu berthynas wedi'ch twyllo chi erioed, Sienci Wenci?"

Roedd gen i deimlad ym mêr fy esgyrn fod hwn yn greadur slei a chyfrwys iawn.

Y Cloc Mawr

Tic, toc, dyna od.

"Simwnd ydw i," cyflwynodd y clociwr ei hun. "Ro'n i'n arfer byw yng Nghymru cyn i fi symud yma i agor fy musnes fy hun."

"Mae hynny'n egluro pam eich bod chi'n gallu siarad Cymraeg," meddai Lili.

"Ydi," chwarddodd Simwnd yn uchel, gan smwddio ei farf fechan siâp triongl. Gwisgai siaced hir o sidan gwyrdd gyda llewys cochion oedd yn siffrwd yn swnllyd wrth iddo symud.

Ha! Roeddwn i wedi dod o hyd i'r enw perffaith iddo. Simwnd Slei! Felly, tra oedd Simwnd Slei yn trafod sut i drwsio'r cloc gyda Tom Twm a Lili, fe fachais innau ar y cyfle i gerdded o gwmpas ei siop. Roedd yma

glociau o bob maint a siâp; pren melyn, pren coch, pren tywyll. Roedd gan rai rifau Rhufeinig ar eu hwynebau ac roedd gan eraill rifau a bysedd wedi'u gwneud o aur ac arian. Sylweddolais fy mod i'n teimlo'n gartrefol iawn yma ymhlith yr holl glociau. Pam? Pwy a ŵyr?

Yna, bron o'r golwg mewn cornel ddi-nod o'r siop, fe ddois i ar draws Cloc Mawr yn hel llwch. Rhedodd ias anesboniadwy arall i lawr fy nghefn. Cefais y teimlad rhyfedd fy mod i wedi gweld y cloc yma yn rhywle o'r blaen. Roedd rhywbeth mor gyfarwydd amdano.

Go drapia yr hen ddiffyg cof yma, dwrdiais.

Edrychais yn fanylach ar y Cloc Mawr. Roedd bron yn chwe throedfedd o daldra ac o dan y llwch, gwelais fod lluniau o anifeiliaid gwyllt y maes wedi'u cerfio ar y pren tywyll; sgwarnog, gwiwer, cnocell y coed, telor y cnau a llwynog. Rhedais fy mys ar hyd y cerfiadau cain. Yna, teimlais siâp llythrennau wedi'u naddu ar y pren. Y llythrennau S.W. oedd aro.

Cofiais i rywun ddweud wrtha i un tro fod y gwneuthurwyr clociau ers talwm yn cerfio llythrennau eu henw ar y cloc i brofi mai nhw oedd wedi'i wneud. Tybed pwy oedd S.W. felly, a pham fod ei Gloc Mawr hardd yn hel llwch mewn cornel dywyll yn siop Simwnd Slei?

Ond roedd syrpréis arall yn fy aros. Doeddwn i heb edrych ar wyneb y cloc, a phan wnes i hynny, fu bron i fy nghalon wan stopio yn y fan a'r lle. Tic, toc, sioc! Roedd bysedd y Cloc Mawr wedi stopio ar DRI MUNUD I DRI. Ie, yn union fel bysedd fy oriawr i!

Swish, swish, sibrydodd siaced sidan Simwnd Slei.

"A-ha, dwi'n gweld eich bod chi wedi dod o hyd i'r hen Gloc Mawr da-i-ddim yma," meddai. "Dwi'n bwriadu ei dorri'n goed tân ar gyfer y gaeaf gan nad yw'n bosib ei drwsio."

"Peidiwch â gwneud hynny," cythrais. "Mae yna rywbeth arbennig am y Cloc Mawr yma. O ble y daeth o?"

"O, dydw i ddim yn cofio wir," meddai Simwnd, gan wenu drwy ei ddannedd. "Ro'n i bron wedi anghofio amdano."

"A phwy yw S.W.?" holais. "Mae'r llythrennau wedi'u cerfio ar y cloc."

Fflachiodd llygaid gwyrdd Simwnd Slei a dechreuodd fwytho ei farf siâp triongl yn nerfus. Gafaelodd yn fy mraich a cheisio fy arwain i ffwrdd o'r Cloc Mawr. Dechreuodd Dan Draed chwyrnu a dangos ei ddannedd ac fe'm gollyngodd yn syth

"Dewch rŵan, Mistar … ym …"

"Siencyn," atebais. "Er nad dyna ydi fy enw go iawn. Fe ddeffroais un bore heb enw, heb gartref … heb unrhyw orffennol o gwbl, a dweud y gwir, a dwi wedi bod yn crwydro o gwmpas ers hynny, yn ceisio darganfod pwy ydw i ac o ble rydw i'n dod."

Ceisiodd Simwnd Slei guddio gwên sbeitlyd. Gallwn daeru hefyd i mi ei glywed yn rhoi ochenaid o ryddhad. Hen greadur od iawn oedd hwn.

“Mae’n ddrwg iawn gen i glywed hynny, Siencyn,” meddai Simwnd yn ffugdosturiol.

“Wel, mae’n well i ni ei throi hi,” meddai Tom Twm. “Rydan ni am fynd i deithio am ychydig ddyddiau o gwmpas y Goedwig Ddu tra bydd Simwnd yn trwsio’r cloc cwcw. Hoffet ti a Dan ddod gyda ni, Siencyn?”

A dweud y gwir, roedd fy esgyrn yn dal yn boenus wedi’r daith hir o Gymru i’r Almaen. Dechreuais egluro i Tom Twm a Lili yr hoffwn i aros yn y dre – roedd yma ddigon o goed a chysgod rhag y tywydd oer.

“Twt, twt, does dim angen i chi gysgu allan yn yr awyr agored siŵr iawn, Siencyn, yn enwedig yn y tywydd oer yma,” mynnodd Simwnd Slei. Roedd yn amlwg wedi bod yn clustfeinio ar ein sgwrs.

“Mae gen i gaban pren ar ben y mynydd. Does neb yn ei ddefnyddio ar hyn o bryd ac mae croeso i chi aros yn fan’no nes bydd Tom Twm a Lili yn dod yn ôl o’u taith,” meddai, gan wenu’n falch.

Credai Tom Twm a Lili fod cynnig Simwnd

yn un caredig iawn, ond roeddwn i'n ddrwgdybus ohono. Pam fod Simwnd Slei mor barod i'm helpu? Doedd o prin yn fy adnabod i. Mewn gwirionedd, doedd gen i fawr o ddewis, yn enwedig â hithau'n addo eira mawr.

Hunllef

Tic, toc, troi'r cloc yn ôl.

Daliodd Dan Draed a minnau y car cebl i fyny i ben y mynydd ac i'r caban yng nghanol y coed. Roeddwn i'n dal i deimlo'n amheus o Simwnd Slei. Pam oedd o mor awyddus i gynnig y caban i mi? Ond yn dawel bach ro'n i hefyd yn falch iawn o gael lle i dreulio'r nos. Chwipiai'r gwynt y tu allan i'r drws ac roedd hi wedi dechrau pluo eira.

Edrychai'r gwely mawr yng nghanol yr ystafell yn groesawgar iawn. Ond er i mi gau fy llygaid yn dynn a lapio fy hun yn belen yn y dwfe plu, allwn i ddim cysgu winc. Bûm yn troi a throsi am oriau. Roedd wyneb sbeitlyd Simwnd Slei a sŵn tipiadau'r clociau yn ei siop yn troi a throi yn fy mhen …

Tic-toc. Ticiti-toc. Tic-toc. Ticiti-toc. Tic-toc. Ticiti-toc …

Be sy'n digwydd? Mae yno bendil cloc anferth yn rhwyfo o un ochr i'r ystafell i'r llall. Dwi'n neidio i'w osgoi. Mae ei sŵn yn fyddarol. Gorchuddiaf fy nghlustiau a chau fy llygaid yn dynn. Mae'r ystafell yn dechrau troi a throi, yn gynt a chynt. Yna mae'n stopio. Dwi'n mentro agor fy llygaid. Ble ydw i? Rydw i mewn lle dieithr. Ond mae'r lle yn edrych yn gyfarwydd i mi hefyd rywsut. Mae arnaf i ofn.

Mae'r drws yn agor gyda gwich. Mae rhywun yn cerdded i mewn i'r ystafell. Dyn tua'r un oed â fi gyda gwallt gwyn a dillad trwsiadus sydd yno. Alla i ddim gweld ei wyneb. Mae'n cerdded heibio i mi, yn fy anwybyddu. Dwi'n cael yr argraff nad yw'n gallu fy ngweld. Mae'n mynd at y ffenest a dwi'n sylwi ei bod hi'n bwrw eira'n drwm ar y stryd tu allan. Drwy'r ffenest, dwi'n gallu gweld arwydd y pentref yn glir yng ngolau'r lleuad lawn – CROESO I LWYNCADNO.

Mae'r dyn yn tynnu'r llenni ac yna'n cerdded allan, heibio i mi.

Mae tipian swnllyd y cloc yn ailddechrau ac mae'n rhaid i mi adael yr ystafell. Dwi'n penderfynu dilyn y dyn … i lawr y grisiau … ac yna ar hyd coridor hir sy'n arwain at weithdy.

Gweithdy clociwr sydd yma, ac mae bob math o ddarnau a sgriwiau ym mhobman. Mae'r gweithdy yn rhan o siop fach sy'n gwerthu clociau o bob math. Rwy'n sylwi ar enw uwchben y drws. 'SIÔN WATCYN: CLOCIWR GORAU CYMRU'. Wrth weld y geiriau mae cloch yn dechrau canu yn fy mhen, fel larwm, ond does gen i ddim syniad pam fod yr enw yma mor bwysig i mi.

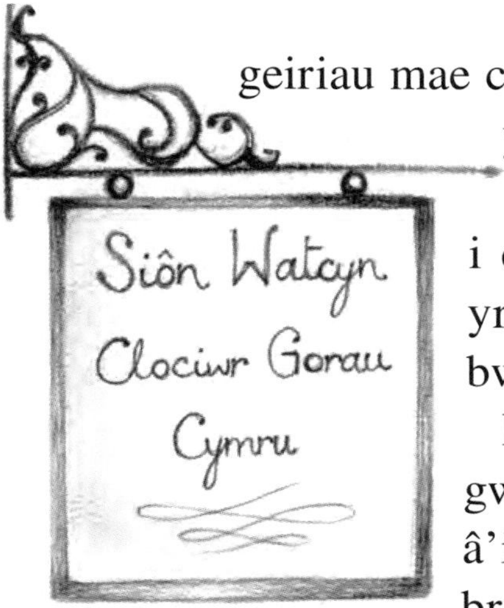

Dwi'n dychwelyd i'r gweithdy. Mae'r clociwr â'i gefn ata i ac yn brysur wrth ei waith. Mae'n dywyll iawn yno, a dim ond lamp baraffîn sy'n goleuo'r ystafell. Mae'n rhaid ei fod yn gweithio'n hwyr iawn. Dwi'n sylwi ar Gloc Mawr hardd yr olwg yng nghornel yr ystafell gyda'r bysedd yn tynnu at dri o'r gloch y bore. Cloc cyfarwydd.

Yn sydyn, mae cysgod du yn sleifio ar draws y ffenest. Dwi'n gallu gweld bwlyn drws y gweithdy'n troi yn araf. Mae rhywun yn cerdded i mewn. Dyn sydd yno, wedi'i wisgo mewn du o'i gorun i'w sawdl a balaclafa'n cuddio ei wyneb. Dydi'r clociwr heb sylwi arno ac mae'n parhau i weithio. LLEIDR! Dwi'n agor fy ngheg i'w rybuddio ond does dim smic i'w glywed. Does gen i ddim llais. Rydw i'n anweledig. Ai ysbryd ydw i?

Dydw i ddim yn credu'r hyn sy'n digwydd nesaf. Mae'r lleidr yn sleifio ar flaenau ei draed at y clociwr ac yn ei daro ar ei ben. Mae'r clociwr yn syrthio'n anymwybodol wrth fy nhraed. Am y tro cyntaf, dwi'n cael cip ar ei wyneb ac mae fy ngwaed yn rhewi. Dwi'n ei adnabod!

Yna mae'r lleidr yn anelu'n syth at y Cloc

Mawr hardd yng nghornel yr ystafell. Mae'n rhoi'r cloc ar droli ac yn ei rolio heibio i mi. Dwi'n sylwi ar y lluniau o anifeiliaid gwyllt y maes sydd wedi'u cerfio ar y pren tywyll. Dwi'n bendant wedi gweld cloc fel hwn yn rhywle o'r blaen. Ond ble? Go drapia yr hen ddiffyg cof yma!

Mae'r lleidr yn edrych yn llechwraidd o gwmpas yr ystafell. Mae'n tynnu ei falaclafa yn fuddugoliaethus, a dwi'n rhewi yn fy unfan eto. Simwnd Slei yw'r lleidr!

Cofio

Tic, toc, sioc!

Deffroais o'r hunllef yn chwys domen dail. Ond ai breuddwyd oedd hi? Roedd gen i deimlad rhyfedd fy mod wedi ail-fyw rhan o fy ngorffennol. Erbyn hyn roeddwn i'n sylweddoli mai:

1. Fi oedd y dyn hwnnw a welais yn y freuddwyd yn gweithio'n hwyr yn y gweithdy.
2. Siôn Watcyn yw fy enw iawn i.
3. Rydw i'n byw mewn pentref o'r enw Llwyncadno.
4. Ar un adeg, fi oedd clociwr gorau Cymru. Dyna esbonio pam fy mod yn gwybod yn

reddfol faint o'r gloch yw hi, waeth pa awr o'r dydd yw hi.

5. Simwnd Slei oedd y lleidr a dorrodd i mewn i'r gweithdy a fy nharo'n anymwybodol. Dyna a barodd i mi golli fy nghof.
6. Fe ddigwyddodd hyn i gyd am dri munud i dri yn y bore bach, sy'n egluro pam fod bysedd fy oriawr arian wedi stopio'n union ar yr amser yma.
7. Fi sydd biau'r Cloc Mawr hardd sydd erbyn hyn yn siop Simwnd yn y Goedwig Ddu.

Hwrê! Roeddwn i'n cofio! O'r diwedd, roedd darnau jig-so fy mywyd yn dechrau dod ynghyd. Ond roedd un darn o'r pos yn dal ar goll. Pwy oedd Simwnd Slei? A pham oedd o wedi torri i mewn i fy ngweithdy'r noson honno a dwyn y Cloc Mawr gan fy ngadael i'n gorwedd yn anymwybodol ar y llawr?

Roeddwn yn sicr o un peth. Rhybudd oedd yr hunllef mai dyn drwg iawn oedd Simwnd Slei a bod yn rhaid i mi a Dan Draed ddianc ar unwaith. Roedd yn rhaid i ni ddod o hyd i Tom Twm a Lili cyn i bethau droi'n ddu iawn arnom yma yn y Goedwig Ddu!

Dechreuais gasglu fy mhethau at ei gilydd yn frysiog. Roedd rhywbeth i'w deimlo'n drwm yng ngwaelod fy mag cefn. Emrallt Helga Heglog oedd yno, yn goleuo'n wyrdd

llachar. Hy, doedd y garreg heb ddod â fawr o lwc i mi hyd yma!

Roedd hi'n dal yn dywyll fel bol buwch tu allan ac yn bwrw eira'n drwm. Ond doedd dim dewis gen i ond dianc. Tra'r oeddwn i o fewn cyrraedd i Simwnd Slei, roeddwn mewn perygl. Tyrd, Dan, amneidiais ar fy ffrind bach teircoes.

Grrrrrr! Ysgyrnygodd Dan ar rywbeth neu rywun. Daeth llais iasol o grombil y caban pren.

"Ac i ble wyt ti'n mynd, Siôn Watcyn, a hithau'n noson mor arw?"

Simwnd Slei oedd yno, yn eistedd wrth y bwrdd. Llyfai ei weflau fel hen lwynog mewn cwt ieir. Ond y tro hwn, fi oedd y ceiliog oedd ar fin cael ei larpio!

"Pwy wyt ti?" gofynnais, gan grynu.

Chwarddodd Simwnd yn uchel. "Twt, twt. Wyt ti ddim yn adnabod dy gefnder hoff?"

Cefnder? Doedd bosib fy mod i'n perthyn i'r dihiryn hwn!

"Hen beth cas ydi colli dy gof, yntê, Siôn

Watcyn?" aeth yn ei flaen gan lyfnhau ei locsyn bach coch. "Fe ddylwn i ymddiheuro i ti am hynny," crechwenodd. "Doeddwn i ddim wedi bwriadu dy daro di cweit mor galed y noson honno."

"Gallet ti fod wedi fy lladd i!" protestiais.

"Twt lol, paid â bod mor ddramatig!"

"Ond fe gollais i fy nghof. Rydw i wedi bod yn dioddef o amnesia ers y noson honno ac wedi bod yn chwilio am gliwiau i esbonio pwy ydw i ac o ble rydw i'n dod!"

"Do. Rwyt ti wedi byw fel hen drempyn blêr, drewllyd, ac wedi codi cywilydd ar weddill y teulu," meddai Simwnd, gan edrych i lawr ei drwyn main arna i.

Erbyn hyn roedd fy ngwaed yn berwi. Sut allai rhywun o fy nheulu fy hun fod wedi gwneud hyn i mi? A pham?

"Ti'n gweld, gefnder, roedd yn rhaid i mi gael gafael ar yr hen Gloc Mawr yna. Yn enwedig gan ei fod yn werth arian mawr," meddai Simwnd.

"Y Cloc Mawr?" ebychais.

"Ie, hwnnw gefaist ti ar ôl ein taid ni, Selwyn Watcyn."

Cofiais am y llythrennau S.W. ar ochr y Cloc Mawr. Selwyn Watcyn, fy nhaid, oedd wedi gwneud y cloc.

"Ti oedd ffefryn Taid pan oedden ni'n blant. Ond doedd dim synnwyr mai ti oedd yn cael etifeddu'r Cloc Mawr. Doedd hynny ddim yn deg!"

"Felly fe benderfynaist ti ei ddwyn oddi arna i?"

"Roedd yn rhaid i mi ei gael, ond ar ôl i mi ei ddwyn oddi arnat ti, roedd yn rhaid i mi guddio'r cloc. Fe ddois i yma i'r Goedwig Ddu i ddechrau fy musnes fy hun, fel fy mod yn ddigon pell rhag gorfod ateb cwestiynau pawb yng Nghymru ..."

Tywyllodd ei lais. "Ond sut wyddwn i fod yna felltith ar y Cloc Mawr? Rydw i wedi ceisio ei drwsio sawl gwaith ond, am ryw reswm, mae'r bysedd wedi stopio ar dri munud i dri a does neb eisiau prynu cloc sy wedi torri."

Ceisiais guddio gwên. Cododd Simwnd ar ei draed; roedd golwg fygythiol ar ei wyneb.

"Ond TI ydi fy mhroblem fwyaf i ar hyn o bryd, Siôn Watcyn … neu Siencyn … beth bynnag yw dy enw di y dyddiau yma! Ti a dy gi bach di-ddim. Rydych chi'ch dau wedi dod yma i'r Goedwig Ddu i ddifetha pob dim i mi."

Culhaodd ei lygaid gwyrdd a llyfodd ei ddannedd â'i dafod.

"Ac mae'n rhaid delio â chi ar frys, cyn i ti

gael cyfle i fynd at yr heddlu!"

WWWWWWSH!

Yn sydyn, chwipiodd y gwynt ddrws pren y caban yn agored gan chwythu'r eira fel siwgr mân i bob man. Gwelodd Dan Draed ei gyfle a rhedodd drwy'r drws fel mellten. Ond roeddwn i'n rhy araf. Clepiodd Simwnd y drws ynghau.

"Aros di ble'r wyt ti. Chei di ddim dianc, Siôn Watcyn … A chei di ddim difetha'r bywyd newydd yma rydw i wedi'i greu i mi fy hun, na chei, wir … dim byth!"

Help!

Tic, toc, dan loc.

Awtsh! Brathai'r rhaff drwchus i mewn i fy arddyrnau. Roedd fy nhraed yn binnau mân gan fod fy mhigyrnau wedi'u clymu hefyd. Roedd fy nghefnder cas wedi fy rhwymo i'r gadair. Roeddwn i'n garcharor yn y caban pren ar ben y mynydd.

Chwyrnai Simwnd Slei ar y gwely. Rhwbiais y rhaff a cheisio symud fy mysedd ond doedd dim llacio ar y clymau. Dechreuais anobeithio. Sut ar wyneb daear oeddwn i'n mynd i ddianc o'r lle yma? Hyd yn oed petawn i'n llwyddo, roedd gormod o eira y tu allan ac roedd y ceir cebl wedi peidio â rhedeg i fyny ac i lawr y mynydd. Ond roedd un peth yn fy mhoeni yn fwy na dim. Ble roedd Dan Draed? Neidiodd lwmp i fy ngwddf wrth i mi feddwl am fy ffrind bach dewr allan yn yr eira mawr mewn lle dieithr. Oedd o'n ddiogel? A fyddai'n llwyddo i gyrraedd y dref mewn un darn? Tybed a oedd Tom Twm a Lili wedi dod yn ôl o'u taith ac a allai Dan ddod o hyd iddyn nhw? Doedd dim amdani ond croesi fy mysedd a gobeithio am y gorau.

Mae'n rhaid fy mod wedi pendwmpian. Agorais fy llygaid led y pen wrth i dwrw mawr ddiasbedain dros y lle.

Baaaa! Baaa!

Nein! Nein!

Wff! Wff!

CLANC! CLEC! CLATSH!

Fel rhywbeth allan o ffilm James Bond,

syrthiodd y drws pren yn glep i'r llawr. Ac yno, ar drothwy'r drws, roedd yr olygfa ryfeddaf a welais erioed. Roedd Hansel a Gretel, y ddwy afr, yn tynnu sled tobogan ac yn y sedd flaen roedd Helga Heglog, yn gwisgo siwt sgio a gogls eira. Neidiodd Dan Draed o'r sedd y tu ôl iddi a llamu ata i. Dechreuodd gnoi'r rhaffau gyda'i ddannedd miniog.

"Brysia, Dan Draed!" gwaeddodd Helga. "Dwi'n sownd yn y tobogan!" Roedd ei phen-ôl mor fawr fel ei bod yn hollol sownd. Roedd yr holl halibalŵ wedi deffro Simwnd Slei.

"Be ydi'r syrcas yma?" gwaeddodd yn ddryslyd.

"Tyrd Dan Draed," anogais fy ffrind. Gallwn deimlo'r rhaff o gwmpas fy nwylo yn llacio ac roedd fy nhraed eisoes yn rhydd.

Hîf-ho. Hîf-ho. Brwydrai Helga i ryddhau ei hun o'r sled tobogan ac, yn sydyn, fel bwled o wn, saethodd allan o'i sedd a glanio wrth draed Simwnd Slei. Baglodd Simwnd drosti a hedfan ar draws yr ystafell. Glaniodd yn flêr, a tharo ei ben yn erbyn fy mag i.

Aeth pobman yn dawel am eiliad. Gorweddai Simwnd yn anymwybodol ar y llawr. Sylwais ar rywbeth yn goleuo'n wyrdd llachar yng ngwaelod fy mag. Emrallt Helga oedd yno. Mae'n rhaid fod Simwnd wedi taro ei ben ar y garreg yn fy mag. Hei, emrallt lwcus oedd o wedi'r cyfan!

"Herr Siencyn … wyt ti'n iawn?" brysiodd Helga tuag ata i a phlannu cusan fawr wlyb ar fy moch.

"Ydw, dwi'n iawn," atebais yn sigledig. "Sut ddaethoch chi o hyd i mi?"

"A-ha, danke Dan Draed. Mae'r diolch am hynny i dy ffrind ffyddlon. Fe ddaeth draw i'r tŷ ac roeddwn i'n gwybod ar unwaith dy fod ti mewn perygl. Felly fe glymais i Hansel a Gretel wrth y sled tobogan ac fe arweiniodd Dan Draed ni yma drwy'r eira."

"O, diolch Dan," dywedais, gan fwytho ei ben.

"Does dim amser i'w golli, Siencyn. Rhaid i ni fynd, cyn i hwn ddeffro," meddai Helga, gan gyfeirio at Simwnd.

"Allwn ni ddim ei adael o yma yn

anymwybodol," dywedais, o gofio ei fod yn gefnder i mi wedi'r cyfan. "Be os ydi o wedi brifo?"

"Nein. Na. Mi fydd o'n iawn, heblaw am andros o gur pen," meddai Helga yn ddi-hid. Ond pan welodd yr olwg bryderus ar fy wyneb, newidiodd ei meddwl.

"Ôl-reit 'ta. Fe glymwn ni o yn y rhaffau yma a mynd ag o i'r orsaf heddlu yn y dre."

Stwffiodd pawb i mewn i seddau y tobogan. Roedd Helga yn y blaen a minnau y tu ôl iddi, gyda Dan Draed yn fy nghôl. Roedden ni'n teithio i lawr y mynydd, yn ôl i'r dre, felly doedd dim angen i Hansel a Gretel dynnu'r sled. Roedd ganddyn nhw waith pwysig i'w wneud – yn cadw llygad barcud ar Simwnd Slei yn y sedd gefn. Fe fydden nhw'n barod i'w bwnio petai'n meiddio symud gewyn.

"Pawb yn barod?" gwaeddodd Helga, wrth gywiro ei gogls. "Cydiwch yn dynn!"

Wwwwwwshhhh! Ac i ffwrdd â ni, i lawr llethrau'r mynydd, yn ôl i'r dyffryn ac i ddiogelwch y dre.

Diwedd y daith

Tic, toc, dyma fi!

Adroddais yr hanes wrth Tom Twm a Lili wedi iddyn nhw ddychwelyd o'u taith.

"Wel wir, mae'n anodd credu'r peth Siencyn … sori, Siôn Watcyn," meddai Tom Twm yn gegrwth.

"Galwch fi'n Siencyn," dywedais. "Mae'n well gen i'r enw hwnnw."

"A be sy wedi digwydd i Simwnd, yr hen lwynog slei?" holodd Lili.

Eglurais fod fy nghefnder drwg yn nwylo'r heddlu. Roeddwn i wedi rhoi datganiad ac roedden nhw am wneud yn siŵr ei fod yn cael ei gosbi. Roedd ein antur yn y Goedwig Ddu ar ben ac roeddwn i wedi gwireddu fy mreuddwyd. O'r diwedd roeddwn i'n gwybod pwy oeddwn i ac o ble roeddwn i'n dod. Roedd hi'n amser i mi ddychwelyd i bentref Llwyncadno ac ailafael yn fy mywyd fel clociwr llwyddiannus.

Diolchais i Helga Heglog am fy achub, gan

obeithio y byddai'n dod o hyd i ŵr golygus i gadw cwmni iddi cyn hir. Y tro hwn, chefais i ddim trafferth o gwbl i gael pasport i deithio'n ôl i Gymru gan fod gen i enw a chyfeiriad. Ac felly cychwynnodd Tom Twm a Lili, Dan Draed a minnau, y Cloc Mawr a'r cloc cwcw ar y siwrne hir yn ôl adref.

Canodd y Cloc Mawr bedair gwaith yn fy ngweithdy. Edrychais ar wyneb fy oriawr arian – roedd hi'n dangos yr amser cywir erbyn hyn! Pedwar o'r gloch. Amser te a chyfle i gael seibiant bach.

Roedd hi wedi bod fel ffair yn y siop drwy'r dydd, gyda phobl y pentref yn dod â'u clociau i mewn i'r siop i mi eu trwsio. Roedden nhw'n falch iawn fod Siôn Watcyn, clociwr gorau Cymru, wedi agor drws ei siop unwaith eto! Ac roeddwn innau'n falch o gael arian yn fy mhoced, bwyd yn fy mol, a tho uwch fy mhen. Gwaith hawdd yw trwsio clociau mewn cymhariaeth â chwilio am fwyd a chysgod rhag y tywydd garw.

Sion Watcyn
Clociwr Gorau Cymru

Ond oni bai am fy nghyfnod fel crwydryn, fyddwn i byth wedi cwrdd â Dan Draed, ac mae Dan yn ffrind arbennig iawn. Mae ganddo fasged glyd yn y gweithdy, ac fe fydd o'n gwmni i mi am oes.

Er i mi anghofio popeth am gyfnod, fe ddysgais i lawer ar fy nheithiau fel Siencyn, ac fe ges i gwrdd â phobl o bob math. Roedd rhai yn gas, ond wyddoch chi beth? Mae'n well gen i gofio am y bobl garedig, am y rhai hynny oedd yn barod i helpu a bod yn ffrindiau i mi pan oeddwn i wir eu hangen. A dwi'n gwybod na wna i fyth anghofio hynny.